CW00735715

Julia Nachtwald

Ein Opfer ohne Makel

Krimi

Impressum

Bibliografische Information der Deutschen
Nationalbibliothek:
Die Deutsche Nationalbibliothek verzeichnet diese
Publikation in der Deutschen Nationalbibliografie;
detaillierte bibliografische Daten sind im Internet über
http://dnb.dnb.de abrufbar.

© 2024 Julia Nachtwald

Herstellung und Verlag: BoD – Books on Demand,
Norderstedt

ISBN: 978-3-758-37430-2

Samstagnacht

Er schlug die Augen auf, Dunkelheit umgab ihn. Schweißgebadet tastete er nach der Nachtischlampe. Ein Blick in den Raum. Alles in Ordnung. Seine Kehle fühlte sich trocken an. Er stand auf und holte sich in der Küche ein Glas Wasser. Er trank es Schluck für Schluck. Seine Hände zitterten. Was war los? Warum hatte er aus heiterem Himmel Angst? Es gab doch keinen Grund. Er schüttelte den Kopf über sich selbst.

Es war still. Was sollte mitten in der Nacht auch sein? Es war nichts, nichts was ihn beunruhigen müsste. Das ist nur der Stress in der Arbeit, redete er sich ein, und doch er hatte er das unbestimmte Gefühl, dass etwas auf ihn zukam. Morgen ist Samstag. Ausschlafen, alles ist in Ordnung. Er legte sich wieder hin und nickte wieder ein.

Um zwanzig nach sieben weckte ihn ein Anruf.

„Sind Sie Andreas Berger?"

„Ja".

" Feuerwehr Wolzig, Meier hier. Ihr Ferienhaus ist abgebrannt. Leider wurden wir erst spät verständigt. Es ist niemand zu Schaden gekommen. Nur das Haus."

Er fing an zu zittern. Niemand war zu Schaden gekommen, weil er nicht dort übernachtet hatte. Anders als geplant. Er schnappte nach Luft.

„Wir gehen von einer defekten Heizung aus.", sagte die Stimme am anderen Ende der Leitung.

Er atmete auf. Es war kein Anschlag auf ihn. Es war ein Unfall oder besser ein Zufall. Er bildete sich das alles nur ein. Seine Laune besserte sich, er holte er sich seine Zeitung aus dem Postkasten, kochte Kaffee und presste drei Orangen aus. Ein paar Vitamine und sein Leben war in Ordnung. Er fühlte sich gesund und vital.

Für heute hatte er sich mit Gunter zur Jagd verabredet. Er machte sich fertig, packte sein Gewehr und Fernglas in den Kofferraum und fuhr los. Er war ein wenig spät dran und trat aufs Gas. Kurz vorm Ziel schlug ein Stein auf seine Windschutzscheibe. Vor Schreck verriss er das Steuer, fuhr auf die andere Spur. Er hatte Glück, es gab keinen Gegenverkehr. Welcher Idiot warf hier Steine von der Brücke? Es war gefährlich. Der Schock saß ihm in den Gliedern. Genervt fuhr er ein Stück weiter auf den Parkplatz bei dem sie sich verabredet hatten. Er wunderte sich über den Range Rover am Waldrand, normalerweise waren Gunter und er um diese Zeit alleine hier. Er checkte die Nachrichten auf dem Handy. Wo blieb Gunter?

Es klopfte an die Scheibe, er kurbelte sie herunter und bemerkte erst jetzt die Waffe, die auf seinen Kopf gerichtet war.

Silvio

Silvio holte das Fleischmesser aus der Schublade, zerteilte das saftige Fleisch in grobe Stücke. Es war noch blutig. Sein Handy riss ihn aus den Gedanken. „Bernstein, wir haben eine Leiche."

Er atmete aus. „Schick mir die Daten. Sein Blick fiel auf das Fleisch. Das Essen mit Sandrine musste warten. Er packte alles wieder in den Kühlschrank und schaltete den Herd ab, auf dem schon die Zwiebeln schmorten. Heute Abend war auch noch Zeit. Er schickte Sandrine eine Nachricht: „Essen gibt es erst Abends. Muss arbeiten."

Am Tatort

Am Tatort wuselten die Kollegen herum. Lena packte schon zusammen. „Hallo Silvio. Der Tote wurde aus nächster Nähe erschossen. Tatzeit vorläufig würde ich sagen um 10.00 Uhr. Sieht aus, als wollte er sein Revier begehen. Sein Jagdgewehr war im Kofferraum. Alles weitere Morgen. Und wo ist eigentlich Ulla?"

Silvio sah sich um. „Da hinten kommt sie schon."

Ulla kam dazu. Sie wirkte abgehetzt, mit hochrotem Kopf sagte sie: „Morgen Silvio, tut mir leid, dass ich so spät bin. Also, er heißt Andreas Berger, lebt in Scheidung, arbeitet für IT-Consulting als kaufmännischer Leiter, wohnt in Berlin."

„Und hast du den Täter auch schon?" Ulla grinste. „Nein, da muss ich dich enttäuschen. Leider. Aber wir haben das Handy und es ließ sich mit seinem Fingerabdruck entsperren. Du kann ich was in dein Auto stellen?"

Silvio nickte und gab ihr den Schlüssel.

Silvio umkreiste den Wagen des Opfers, starrte auf den Boden, viel zu hart für Spuren. „Was ist denn mit dem Wagen passiert?" Er deutete auf die Frontscheibe. „Steinewerfer?"

„Ja, sieht ganz so aus. Zwei, drei Kilometer weiter ist eine Brücke."

„Wer hat ihn gefunden?"

„Gunter Seifert. Er war mit ihm hier verabredet und hat sich verspätet. Er hat ihm eine Nachricht geschickt."

„Warte, ich hole ihn schnell rüber." Ulla war wieder ganz bei der Sache. „Guten Tag, Bernstein. Sie haben die Polizei gerufen?"

„Ja. Es war schrecklich als ich hier ankam."

„Und können Sie sich vorstellen, wer einen Grund hatte ihren Freund umzubringen?"

Er schüttelte den Kopf. „Nein. Absolut nicht." Ulla nahm die Daten auf.

„Woher kennen Sie sich?"

„Ach, schon ewig, vom Studium."

„Und hat er sich irgendwie seltsam verhalten?"

Gunter Seifert starrte in die Luft, ließ sich mit der Antwort Zeit. „Nein, nein, nicht. Alles ganz normal."

„Wann waren Sie denn hier?"

„So gegen halb elf Uhr würde ich sagen, ich war spät dran."

„Ja, und können Sie das irgendwie belegen?"

Er fixierte wieder einen Punkt zwischen den Baumwipfeln. „Nein, da gibt es nichts." „Ja, das war es vorerst." Seifert bewegte sich zu seinem Wagen.

„Wollen wir seine Ex-Frau befragen?",
fragte Ulla.

„Ja, Moment noch, ich möchte mir noch
die Brücke ansehen und hole einen
Kollegen dazu, falls ich was finde.
Finde du mal raus, wo unser Opfer
gewohnt hat."

Silvio fuhr die drei Kilometer zur Brücke
und parkte am Straßenrand. Er
kletterte die Böschung nach oben.
Oben sog er die kühle Luft ein. Es roch
nach Wald, Erde und Regen. Er suchte
die Brücke ab, den Boden. Da blinkte
etwas. Er bückte sich, das war ein
Ohrstecker. Aber der gehörte sicher
einer Frau, und würde eine Frau Steine
von der Brücke werfen? Silvio konnte

sich das nicht vorstellen. Er packte den Stecker in eine Plastiktüte. Ein paar Schritte weiter lag eine leere Packung Zigaretten, Marke Red Austin, auf dem Boden. Er packte sie in eine andere Plastiktüte. Die Zigaretten konnte jeder hier verloren haben, das sagte nichts. Er stellte sich in die Mitte der Brücke, ließ den Blick über die Straße schweifen. Es war immer noch grau in grau, stark bewölkt und nieselte leicht. Ungemütlich dieses Wetter.

Hing dieser Steinewerfer überhaupt mit dem tödlichen Schuss zusammen? Steinewerfer waren meist Jugendliche, die sich gegen alle Regeln auflehnten und ihren Frust abreagierten. Aber der Schuss war geplant.

Auf seinem Handy sah er sich die Umgebung an. Der Weg über die Brücke führte quer durch den Wald, zur B1 Hoppegarten. Der Steinewerfer konnte hier schnell auf die andere Seite des Waldgebiets verschwinden.

Silvio fuhr zurück zu Ulla. „Und wo lebte unser Opfer, dieser Andreas Berger?"

Nicht weit von hier. Sehen wir uns mal um."

Ulla war noch ein wenig im Wald um den Parkplatz herum spaziert und brachte mit ihren Schuhen Waldboden und Nadeln ins Auto mit. Super, dachte Bernstein. Aber es fiel ihr nicht auf. Erst vor dem Apartmenthaus, in dem Berger lebte, trat sie ihre Schuhe ab.

Er bewohnte die Penthousewohnung. „Wow, was für ein Ausblick."

Ulla stand auf der Dachterrasse und überblickte die Gegend. Silvio wanderte durch die Räume. Alles aufgeräumt, ordentlich, eine gut sortierte Hausbar. Nichts Auffälliges. Er zog die erste Schublade vom Nachtkästchen auf. Schlaftabletten? Er zog die Packung heraus Zolpidem. Rezeptpflichtig. Was ließ ihn nicht schlafen? Seine Scheidung? Berufliche Probleme? Silvio erwartete, dass nach der Trennung die Hälfte des Schrankes leer war. Aber er täuschte sich. Sportkleidung, Jogginghosen, sauber gestapelt. Mit wem hatte er sich angelegt?

„Hat er noch Familie?" Ulla schüttelte den Kopf, sie hatte die Hände in den Jackentaschen vergraben und den Kragen hochgeschlagen. Sie fror in der kalten Frühlingsluft. „Seine Eltern leben nicht mehr, keine Geschwister."

Irgendetwas fehlte ihm in dieser Wohnung, aber er hatte keine Ahnung was es war. Es war ein Gedanke, der sich nicht fassen ließ.

„Dann müssen wir zu seiner Frau, die wird ihn noch am besten kennen."

„Können wir machen. Oh, guck mal. Er hatte schon eine neue." Ulla deutete auf ein Foto, das an den Kühlschrank geklebt war.

„Sieht um einiges jünger aus als er." Ulla machte ein Foto mit ihrem Handy. „Mal sehen wie die junge Dame heißt. Ob sie der Scheidungsgrund war? Übrigens seine Frau wohnt auf der anderen Seite der Stadt."

„Wie schön für uns. Dann kommen wir an einem Döner vorbei."

Ulla zog eine Grimasse. „Für mich nicht, danke."

„Aber für mich. Und ein Espresso wäre auch nicht schlecht."

Als sie ins Auto einstiegen, bemerkte Silvio einen seltsamen Geruch.

„Sag mal, wonach riecht es hier?" Silvio schnupperte.

„Das könnte die Schildkröte hinten im Karton sein. Die pflege ich, solange Leon in Urlaub ist bei mir zu Hause.", sagte Ulla. „Ich hab sie vorhin hier reingestellt." Deshalb fragte sie nach dem Autoschlüssel, dachte Silvio. Silvio sagte nichts. Nur von der Schildkröte in seinem Wagen hätte er gerne vorher gewusst.

„So, so bei dir im vierten Stock hältst du eine Schildkröte. Seit wann hast du einen Garten da oben?", sagte er schließlich.

„Silvio, echt jetzt, nur ein paar Tage bis Leon aus dem Urlaub zurück ist."

„Wenn das mal gut geht."

„Was soll schon passieren? Sie frisst Salat und beißt nicht."

„Na, denn." Silvio steuerte den Parkplatz an. „Wer ist übrigens Leon?"

„Der trainiert auch für den Triathlon."

Das klang als wäre sie frisch verliebt. Seit Ulla für den nächsten Volkstriathlon trainierte war ihre Laune deutlich besser, nur verspätete sie sich immer öfter.

„Djangos Döner." Es duftete vielversprechend. Silvio freute sich auf den Happen zwischendurch. „Einen

vegetarischen für dich?", fragte er Ulla.
Sie nickte. Das hätte er nicht gedacht.
War endlich ein Ende der Esoterik
Phase in Sicht? Leise Hoffnung machte
sich breit. Er brachte ihr einen Döner
mit.

„Danke." Sie klappte den Döner auf
und holte die Salatblätter heraus,
drehte sich um, öffnete den Karton und
hielt sie der Schildkröte hin. Deshalb
also. „Ja, ja. Schau nicht so böse. Den
Rest esse ich ja."

Annika Berger lebte in einem
Mehrfamilienhaus. Sie öffnete sofort.
Beinahe so, als hätte sie ihren Besuch
bereits erwartet.

„Bernstein von der Kripo Berlin, meine Kollegin Hummer. Dürfen wir rein kommen?"

„Bitte." Annika Berger führte sie in die Wohnung. Silvio schätzte sie auf Mitte dreißig, ein wenig jünger als das Mordopfer, gezähmte Locken in rotbraun.

„Nehmen Sie Platz." Sie wies auf die blaue Samtcouch mitten im Raum. Alles hier im Raum wirkte hell und harmonisch, die hellgelben Vorhänge passten perfekt zum bunten Teppich und der Couch.

„Worum geht es?", fragte sie und strich sich eine Strähne aus dem Gesicht.

„Ihr Mann ist tot." Wenn sie betroffen war, dann ließ sie sich nichts anmerken. Sie gab nur einen Laut von sich. „Oh." Dann fragte sie:

„Wie ist es passiert?"

„Er wurde erschossen." Sie zog die Stirn in Falten, knetete ihre Hände.

„Und wissen Sie schon von wem?" Sie sah von Silvio zu Ulla und zurück.

„Wir stehen erst am Anfang. Wann haben Sie ihren Mann zum letzten Mal gesehen?"

„Vor zwei Wochen beim Anwalt? Ich weiß es nicht."

Ulla stand auf und ging im

Wohnzimmer umher. Sie entdeckte ein Foto auf einem Sideboard. Annika Berger und Gunter Seifert prosteten sich zu.

„Oh, Sie kennen sich?" Silvio sah auf. „Herr Seifert und Sie?", fragte Ulla nochmal.

„Ja, wir kennen uns. Das Foto entstand letztes Jahr auf einer Geburtstagsfeier. Mein Mann ist damals erst später dazugekommen."

„Und wo waren Sie heute Morgen, sagen wir zwischen neun und elf Uhr? „Zu Hause, ich habe ausgeschlafen."

„Und was meinen Sie, wer hätte Grund ihn umzubringen?"

„Meinen Sie ich?"

Sie sah die beiden vorwurfsvoll an und lehnte sich zurück.

„Nein. Ich, sicher nicht. Klar, er hatte eine Freundin, aber auseinandergelebt hatten wir uns schon vorher. Ihm ging es immer nur um die Karriere, die richtigen Leute, Netzwerken auch privat, die richtigen Hobbys. Ich will einfach nur leben, und arbeiten um es zu finanzieren. Wissen Sie wie schwierig es ist, mit jemandem zu leben, der einfach perfekt ist und immer alles richtig macht?"

Sie machte eine Pause, starrte auf ihre in bordeauxrot lackierten Fingernägel.

„Vielleicht fragen Sie seine Neue, diese Nadine Unger, nach einem Motiv."

„Kann irgendjemand bestätigen, dass Sie alleine hier waren?", fragte Silvio.

„Nein, wie denn. Ich lebe allein."

Das hörte sich fast beleidigt an.

„Vielen Dank erstmal. Wir melden uns."

Die beiden verließen das Haus.

„Also Lifestyle hat sie tatsächlich einen anderen. Allein die Wohnung ist viel gemütlicher als seine."

Bernstein nickte.

„Aber, ich wette, zwischen ihr und diesem Seifert läuft was.", sagte er.

„Das meine ich auch. So wie die beiden sich auf dem Foto angesehen haben."

„Was ihn verdächtig macht. Zumal er schon viel früher am Tatort hätte sein können. Er könnte der Täter sein."

Bergers Freundin Nadine war nicht zu Hause und auch ihr Handy war aus.

„In der Firma erreichen wir heute auch niemanden. Also, bring deine Schildkröte nach Hause und gib ihr Wasser."

Silvio setzte Ulla ab, und fuhr nach Hause. Er schleppte sich hoch in den dritten Stock, sperrte auf. Sandrine war noch nicht da? Vielleicht besser so. Er schnappte sich ein Bier aus dem

Kühlschrank und stellte sich raus auf den Balkon. In der Ferne rauschte der Verkehr, der Wind bewegte die Baumwipfel. Er ließ die Gedanken ziehen. Erst als die Flasche leer war, war er hier zu Hause angekommen, und er wieder frei für den Samstag.

Zeit sich mit dem Essen zu beschäftigen. Er briet das Fleisch mit Perlzwiebeln, Karotten und Champignons an, löschte mit Rotwein und Fond ab, und er ließ es schmoren. In drei Stunden war es bereit für eine Geschmacksexplosion.

Sandrine grinste, als sie zur Tür hereinspazierte. „Riecht lecker, was hast du gekocht?"

„Warte ab."

Sie grinste weiter. War was?
Irgendetwas stimmte nicht, was hatte
er vergessen? Sie sagte nichts. Er
überlegte, dann rang er sich durch und
fragte: „Sag mal. Was habe ich
vergessen?"

„Unseren Ausflug in die Wellness-
Oase. Aber wir können auch morgen
fahren."

Das hatte er völlig verdrängt. Wellness,
das war ihm einfach viel zu ruhig. Aber
Sandrine freute sich so sehr. Er
beschloss diplomatisch vorzugehen
und einfach mal zu fragen, was ihn
erwartete.

„Was haben wir gebucht?", fragte er zwischen zwei Bissen und einem Schluck Rotwein.

„Oh, alles, eine ayurvedische Beratung, eine Partnermassage und noch viel mehr."

Silvio schluckte und spürte wie er bis unter die Haarwurzeln rot wurde. Das war schlimmer als gedacht. Dann prustete sie los.

„Du hast das jetzt geglaubt, stimmt's? Und du erinnerst dich an nichts."

„Nein."

„Dann lass dich überraschen."

Mir bleibt nichts erspart, dachte Silvio und trank noch einen Schluck Rotwein.

Ein Blick auf Sandrine. Sie war glücklich. Und das war es ihm wert.

Sonntag

Sie fuhren raus aus Berlin und landeten
in einem Luxushotel mit mehreren
Pools, Sportangebot, riesiger
Außenfläche und Restaurants.

„Sieht doch nicht so schlecht aus."
Silvio war angenehm überrascht.

„Sag ich doch."

Er hielt Sandrine die Tür auf.
Chlorgeruch schlug ihnen entgegen,
warme feuchte Luft umgab sie.
Vielleicht doch keine schlechte Idee bei
diesem nass-kalten Aprilwetter?

Silvio genoss die Wärme. In den
Chlorgeruch mischte sich Kaffeeduft.

Irgendwo gab es hier Espresso und diese Bar würde er finden.

Sandrine hatte zwei Liegen nebeneinander belegt und zwei Cocktails geholt. Unter den Palmen fühlte er sich wie im Paradies oder zumindest in der Karibik. Die wohlige Wärme entspannte und fühlte sich gut an. Silvio schlief ein, er erwachte erst als Sandrine ihre blonde Mähne schüttelte und Wassertropfen auf ihn fielen. Sie legte sich mit Wasserperlen auf der Haut neben ihn. War das ein Leben.

Sie blieben, bis die Wellness-Oase schloss und fuhren zurück zu Sandrine.

Die Nacht zum Montag

Angenehm müde fielen sie ins Bett und schliefen sofort ein. Gegen drei Uhr morgens weckte Sandrine Silvio.

„Silvio, es rauscht hier wie an der See."

„Hm."

„Nicht weiter schlafen. Hier stimmt was nicht."

Silvio rappelte sich auf. Er stand auf und öffnete die Tür zum Wohnzimmer. „Das ist nass hier." Er bückte sich und befühlte den Boden. Der Teppich hatte sich vollgesogen und konnte kein Wasser mehr aufnehmen. Das sah nicht gut aus.

„Wie?"

Sandrine richtete sich im Bett auf. Silvio durchquerte das Wohnzimmer.

Das Wasser stand im Flur zwei oder drei Zentimeter hoch. Es kam aus dem Bad.

„Die Armatur. Die war nicht ordentlich montiert. Wo ist der Haupthahn?"

Im Bad schwammen ein paar Plastikflaschen, die durch den Wasserdruck vom Waschbecken gespült worden waren.

„Ich ruf den Hausmeister an."

„Und ich suche den Haupthahn."

Silvio fand ihn unter dem Waschbecken im Bad. Er drehte ihn ab.

„Haupthahn ist zu, aber das ganze Wasser hier? Da brauchst du die Feuerwehr."

„Hier kannst du angeln gehen Bernstein."

„Ja, vielleicht geht mir ein dicker Fisch ins Netz."

„Das ist eine Katastrophe hier."

Sie zogen sich an. „Ein zweites Paar Gummistiefel wäre nicht schlecht." Sie packten die wichtigsten Sachen zusammen bis die Feuerwehr eintraf. Silvio reichte es. Aber da mussten sie durch. Der Feuerwehrmann sah die Lage genauso. „Also, die Wohnung können Sie die nächste Zeit nicht bewohnen. Das wird dauern bis Sie das hier trocken haben, und der Geruch. Sie wissen schon. Sie müssen ihre Sachen sichern und die Schäden dokumentieren."

Der Feuerwehrmann sah die Überschwemmung sachlich.

Sandrine standen Tränen in den Augen. Ihre schönen Möbel, die Teppiche, alles war ruiniert.

„Bernstein ich zieh zu dir."

„Das wird schon, die pumpen das jetzt ab." Er nahm sie in den Arm.

„Ja, aber ich halte das nicht aus."

„Fahr zu mir. Ich komme nach."

„Ja." Sandrine zog die Jacke enger um sich.

„Danke." Sie küsste ihn und verschwand. Silvio hätte gerne einen Espresso gehabt. Aber der Strom war aus.

Er atmete durch. Langsam wurde ihm bewusst, was das hieß. Sandrine und er lebten wieder zusammen. Zumindest für die nächste Zeit. Als das Schlimmste in Sandrines Wohnung überstanden war, fuhr er nach Hause. So sehr er sich darüber freute, dass Sandrine wieder bei ihm lebte, für die nächste Zeit zumindest, er wollte nicht an den Tag denken, an dem sie wieder auszog.

Sandrine empfing ihn mit Espresso, frischem krossen Baguette, duftenden Croissants, Mathildas selbstgemachter Marmelade und frischem Obst. Der Tag wurde langsam besser. Er biss in sein Croissant mit Nougat-Nussfüllung und fasste gerade wieder Vertrauen ins Leben, als sich Mathilda meldete.

„Silvio ich brauche dich. Ich habe ein Problem. Nein, keine Einbrecher heute. Es ist ein Problem mit Alba. Ihre beste Freundin hat sich umgebracht."

Silvio legte das Croissant weg. „Ich komme."

„Ines hat sich von der Brücke gestürzt." Sandrine hatte mitgehört. „Ich komme mit.", sagte sie. Sandrine zog ihre Jacke über und war fertig.

Mathilda öffnete ihnen mit einem ernsten Gesicht. „Sie ist im Wohnzimmer."

Alba saß im Schneidersitz auf der Blümchencouch, neben ihr ein Berg zerknüllter Tempo-Taschentücher und, das Gesicht rot vom Weinen. „Hallo Alba." „Hallo Silvio, hallo Sandrine."

„Was ist passiert?"

„Inez ist tot. Sie ist gesprungen." Alba schluchzte. „Und alles nur..." Ihre Stimme versagte. Mathilda brachte Wasser. „Komm trink einen Schluck." „Sie hat sich umgebracht, weil sie wusste, dass der stellvertretende Geschäftsführer ermordet wurde."

„Wie?", fragte Silvio.

„Also, sie hat gesehen, wie jemand ein Pulver in seinen Kaffee geschüttet hat und ihm das Tablett gebracht hat. Er hat getrunken und was tot."

„Und wer war das?"

„Das hat sie mir nicht gesagt. Ich schätze mal eine Kollegin. Jedenfalls lag vor ihrem Apartment auf der Fußmatte dann ein toter Vogel. Wahrscheinlich eine Warnung. Sie hat mich angerufen und geheult. Und gesagt, dass sie sich bedroht fühlte. Sie wurde sowieso leicht panisch, weil ihre Mutter Alkoholikerin war und sie einmal halbverhungern ließ und ihr Vater hat sie immer geschlagen."

„Und hast du eine Idee, wer es war?", fragte Silvio.

„Nein, sie hat geheult und gesagt, sie kann das nicht sagen und dass sie nicht damit klarkommt. Aber ich habe nicht gedacht, dass sie springt."

„Wo hat sie gearbeitet?"

„In dieser privaten Rehaklinik. Sie hat damals den Job über eine Bekannte bekommen."

„Ist das die Sanus Reha?", fragte Sandrine weiter. Sie nickte.

„Ich kenne den Chef, den Dr. Ackemann. Vielleicht könnten wir

mit dem mal Kaffee trinken.", sagte
Sandrine.

„Ja. Das wäre gut und wie hieß der
Geschäftsführer nochmal?", fragte
Silvio.

„Das war Jan Böhme." „Ok. Und wann
ist es passiert?" „Das ist schon ein paar
Tage her."

„Dann gehe ich dem mal nach. Wir
können Inez nicht mehr ins Leben
zurückholen. Aber vielleicht finden wir
den Mörder." Wenn es Mord war,
dachte Silvio. Alba trocknete ihre
Tränen. Sie beruhigte sich langsam.
Mathilda begleitete Sandrine und Silvio
hinaus. „Ich werde Esmeralda einladen,

damit Alba auf andere Gedanken kommt."

„Gute Idee."

Vor allem war Esmeralda beschäftigt, ohne dass er sich kümmern musste.

„Ganz kann ich das nicht glauben, sagte Sandrine. „Was?" „Na, dass jemand im Büro Gift in den Kaffee geschüttet wird."

„Ich weiß nicht, möglich ist viel. Aber ich muss jetzt ins Büro. Ich bin sowieso schon spät."

Im Büro, Montag kurz vor Mittag

Ulla empfing ihn. Ausnahmsweise war sie vor ihm da.

„Silvio, weißt du schon das Neueste. Der Chef liegt im Krankenhaus, Autounfall."

„Oh nein. Und jetzt?"

„Die Kämmerer vertritt ihn solange." Das auch noch.

„Und sie will, dass du sie auf den neuesten Stand bringst, am besten gleich."

Na, denn. Silvio machte sich auf den Weg.

„Guten Morgen Frau Kämmerer."

„Ah, was gibt es Neues? Haben Sie denn schon eine Spur in Sachen Berger?"

„Wir arbeiten dran."

„Und was ist mit diesem Steinewerfer? Da ist doch eine Anzeige reingekommen?"

„Da mache ich mich gleich dran. Wie lange fällt unser Herr Arndt denn aus?"

„Vermutlich vier bis sechs Wochen müssen Sie mit mir auskommen.", sagte sie und zog die Augenbrauen hoch.

Silvio lächelte. „Dann auf gute Zusammenarbeit."

Zurück im Büro fragte er Ulla: „Und wie geht es Irmi?"

„Ja, sie gewöhnt sich an mein Appartement. Und sonst?"

„Was Neues zum Steinewerfer?"

„Ja, du glaubst es nicht, der Typ wurde angezeigt. Louis Mertens. Aber erstmal nicht wegen der Steine, sondern er ist die Pizzeria reingerauscht mit `ner Schlange um den Arm und als ihn der Besitzer gebeten hat, das „Haustier" nach Hause zu bringen, wurde er ausfallend. Hat rumgeschrien, ob er ihm auch einen Stein raufwerfen soll, so wie dem Auto von der Brücke."

„Sag mal raucht der?"

„Ja, Tom hat sogar noch die Zigaretten im Büro. Die hat der Typ liegengelassen."

„Marke?"

„Weiß nicht, ist das wichtig?"

Silvio nickte. Er dachte an die Tüte mit der Zigarettenschachtel von der Brücke, die immer noch bei ihm im Handschuhfach lag. „Ich frage nach."

„Red Austin.", sagte sie nach einem kurzen Telefonat mit Tom.

„Ok, so eine Schachtel habe ich auf der Brücke gefunden. Aber dieser Mertens, hat keine Verbindung zum Opfer oder?"

„Laut Handydaten nicht, und ob sich die Wege der beiden sonst gekreuzt haben, ich weiß es nicht. Er hat auch angegeben, er hat den Stein geworfen, weil ihn sein Dealer versetzt hatte. Frust pur."

Irgendwie passte der nicht ins Bild, dachte Silvio.

„Was ist denn mit dieser Nadine, der Freundin?"

„Die war völlig fertig. Für sie war dieser Berger ja ein Halbgott, und sie war zur Tatzeit beim Friseur Salon Uschi Blum. Das wurde überprüft und ist richtig."

„Dann bleiben uns die Ex-Frau und dieser Jäger.", sagte Silvio.

Hilde steckte den Kopf herein und unterbrach das Gespräch: „Guten Morgen oder besser Mittag zusammen. Es gibt was Neues. Dieser Berger hatte auch ein Wochenendhaus."

„Und?"

„Das ist in der Nacht von Freitag auf Samstag abgebrannt."

„Ach was. Und warum?"

„Angeblich eine defekte Heizung.", sagte Hilde. „Hier ist die Adresse."

„Lass uns hinfahren. Vielleicht ergibt sich was Neues.", sagte Ulla. „Und ich bräuchte ein wenig Obst und Gemüse, wenn es am Weg liegt."

„Für die Schildkröte?" Silvio grinste.

Ulla sah ihn genervt an. „Und für mich auch, wenn es recht ist."

Silvio holte sich im Laden nebenan ein Sandwich, mit Salat, Gurke und Tomaten. Vegetarisch, eigentlich gar nicht so schlecht.

Sie fuhren raus zu den Wochenendhäusern am See.

„Ob die hier während der Woche bewohnt sind?", fragte Ulla. Sie kämpfte mit ihrem Salat und verteilte die Blätter im Auto.

„Ein paar Häuser sicher von Rentnern und „Aussteigern" bewohnt.", sagte Silvio.

Sie standen vor dem ausgebrannten Häuschen, von dem nur eine traurige Ruine geblieben war. Die Nachbarn lugten schon über den Zaun.

„Und sind Sie von der Polizei?"
„Bernstein, Kripo Berlin, meine Kollegin Hummer."

„Kummer?"

„Hummer, wie die Meeresfrüchte.", sagte Ulla extra laut.

„Ah so."

„Und haben Sie etwas gesehen?"
„Nicht wirklich, nur die Ex-Frau von diesem Berger, also die hat mal gestritten mit ihm, Wahnsinn, sage ich Ihnen, und sie hat gesagt, sie fackelt

alles ab, wenn das nicht anders wird. Und das wo er so ein korrekter Mensch ist."

„Und wann war das?", fragte Ulla.
„Schon länger her. Sie fährt einen Range Rover und den habe ich erst vor kurzem hier gesehen."

Ulla notierte sich das. „Und – welchen Eindruck hatten Sie von ihm?"

„Er war ruhig und sehr angenehm. Da gibt es nix zu sagen."

„Ok, dann vielen Dank Frau .."
„Farnholz, Silke. Ist mein Name." Silvio gab der Nachbarin seine Karte.

„Holger hat übrigens Bergers Finanzen gecheckt.", sagte Ulla und scrollte auf ihrem Handy durch die Nachricht. „Unser Andreas Berger hat seinem Jagdfreund letztes Jahr Geld überwiesen."

„Wieviel?"

„50.000 Euro."

„Und wissen wir warum?"

„Nein."

„Dann fragen wir unseren Jagdfreund mal wofür er das Geld erhalten hat."

Seifert arbeitete als Architekt, war aber zu Hause, als sie ankamen. Montag war sein Home-Office Tag.

„Hallo Herr Seifert. Wir hätten doch noch eine Frage. Herr Berger hat Ihnen am 20.02. letzten Jahres 50.000 Euro überwiesen. Wofür?"

Seifert runzelte die Stirn. „Ich wüsste nicht, was Sie das angeht, aber bitte, es war ein Darlehen. Ich war kurzzeitig etwas klamm, weil ich ein Aktiengeschäft in den Sand gesetzt hatte und gleichzeitig Geld für meine Immobilie fällig war."

„50.000, das ist aber eine hohe Rate.", sagte Ulla.

„Ja, es kam noch eine Reparatur im Bad dazu."

Bernstein dachte an Sandrines überflutetes Bad und ihm wurde es heiß und kalt. Hoffentlich war sie versichert.

„Gut, und wann sollten Sie zurückzahlen?", fragte er um sich abzulenken.

„In vier Monaten wird eine Versicherung fällig und ich hätte gezahlt."

„Aha. Haben Sie etwas Schriftliches?"
„Ja, da müsste ich nachsehen."

„Dann tun Sie das bitte." Seifert machte eine Bewegung als wollte er sie zur Tür bringen. „Äh, wir warten solange.", sagte Ulla. Seifert verschwand im Zimmer nebenan.

„Also ein Motiv hätte er damit."
„Abwarten."

Seifert kam kurz darauf mit hochrotem Kopf wieder heraus. „Ja, ich kann grad nichts finden."

„Reichen Sie es nach."

Es läutete. Seifert öffnete. Vor der Tür stand Annika Berger.

„Ja, dann wissen Sie das jetzt auch, wir sind zusammen."

„Seit wann? Schon vor dem Scheidungsantrag?"

Seifert schluckte. „Länger, seit zwei Jahren. Aber sie haben sich im Guten getrennt.", sagte er und legte seinen Arm um Annika. Annika Berger nickte.

„Ich war übrigens bei Annika, bevor ich zu ihm in den Wald gefahren bin. Sie war nicht allein."

Damit hätte sie ja ein Alibi, dachte Silvio. „Aber Sie Herr Seifert, Sie können kein Alibi vorweisen."

„Und Sie haben ein Motiv.", sagte Ulla. „50.000 Euro und die Sache mit seiner Frau."

„Ich habe ihn nicht umgebracht.", sagte Seifert und sah die zwei fassungslos an.

„Wir kommen auf Sie zurück.
Wiedersehen."

„Den lassen wir jetzt mal schmoren.",
sagte Silvio als sie zum Wagen gingen.

„Aber du bist nicht überzeugt." Ulla
merkte, dass Silvio ihn nicht für den
Mörder hielt. 50.000 Euro hin oder her.

„Ich weiß nicht. Er ist unser einziger
wirklicher Verdächtiger und trotzdem,
es passt nicht."

„Was jetzt?"

„Feierabend. Ich muss nachdenken."

Bernstein fuhr zu seiner Wohnung. Es
fühlte sich seltsam an. Ob Sandrine da
war?

Irgendwie wollte er allein sein, aber gleichzeitig, war es schön, dass sie wieder da war. Er sperrte die Tür auf. Verbrauchte Luft schlug ihm entgegen. Sandrine saß auf dem Boden und legte eine Akte aus.

„ Hallo Silvio. Also, im Büro kann man nicht arbeiten. Die renovieren was an den Fenstern und bei mir zu Hause, das ist ein Biotop sage ich dir."

Er drückte ihr einen Kuss aufs Gesicht. „Ich geh mal raus, ja?"

Er lief an ihr vorbei, griff nach einem Bier. Den Weg zum Balkon versperrten ihm mehrere Kisten mit Akten. Er stellte das Bier weg, und streckte sich. Laufen gehen fühlte sich falsch an, er drehte sich um und fragte: „Woran arbeitest du?"

„Das ist eine große Sache. Eine Erbauseinandersetzung."

Er sah ihr an, dass sie Spaß dran hatte. Sollte sie doch die Wohnung auslegen. Sein Blick fiel auf die Wand. Die Bilder waren wieder da. Dort wo sich helle Stellen abgezeichnet hatten, als sie bei ihrem Auszug die Bilder mitgenommen hatte, hingen sie wieder.

Sie folgte seinem Blick. „Ich habe die Bilder wieder hergebracht."

Eine Welle des Glücks schwappte durch ihn. Er bremste sich, vielleicht wollte sie die Bilder ja nur retten und es

war nicht so gemeint? Aber trotzdem.
Er setzte sich neben sie und fragte:
„Kochen, Lieferservice oder Essen
gehen?"

Sandrine schob ihre Arbeit beiseite und
sagte: „Lasagne, Rotwein und Salat –
ich habe vorher einkauft."

Bernstein schnitt die Zwiebeln für das
Hack, und der Fall ließ ihn nicht los.
Was war dieser Berger für ein Mensch?
Alle beschrieben ihn als korrekt,
angenehm. Wer hatte etwas gegen
ihn?

Sandrine sah ihm an, dass die
Gedanken in seinem Kopf kreisten.

„Und wie sieht es aus?"

„Wir haben einen Verdächtigen, aber für mich ist es nicht. Nur.."

„Ihr habt sonst nichts."

Er wischte sich mit dem Ärmel eine Träne aus den Augen. „Ja, genau das ist das Problem und ich kann das Opfer nicht einordnen."

Sie stellte Musik an.

„Entspann dich Bernstein. Dann hast du die besten Einfälle."

Doch Silvio fiel nichts ein. Zumindest nicht zu seinem Fall. Stattdessen wanderten seine Gedanken zu

Mathildas und Albas Problem. Was war in dieser Reha Klinik passiert.

Er fragte Sandrine: „Und hast du deinen Bekannten in dieser Sanus Reha schon erreicht?"

„Ah, richtig. Wir könnten morgen vorbeikommen, auf einen schnellen Kaffee oder so."

Sie genossen Lasagne und Rotwein. Es war wie in alten Zeiten.

Später standen sie eng umschlungen auf dem Balkon und sahen in den Sternenhimmel. Es war eine klare Nacht und die Wolken hatten sich verzogen.

Dienstag früh im Büro

Silvio erwachte mit einem schweren Kopf. Diesen Rotwein vertrug er nicht. Er tastete nach rechts. Wo war Sandrine? Mit einem Ruck setzte er sich auf. Klar, sie hatte einen frühen Termin im Büro. Neben ihm lag ein Zettel mit aufgemaltem Herz. „Bin schon los. Bis dann. Sandrine."

 Er quälte sich ins Büro. Ulla war überraschenderweise schon da, ihre Jacke hin über dem Stuhl, aber sie schwirrte wohl im Haus herum. Er holte sich einen Kaffee, als er mit seinem Becher zurück kam, war Ulla mit hochrotem Kopf an ihrem Platz.

„Silvio unser Verdächtiger, der Seifert, hat ein Alibi. Es ist eine Anzeige reingekommen. Er hat am Samstag, um 10.02 Uhr ca. 20 km entfernt vom Tatort eine Fußgängerin geduscht, sprich er ist durch eine Pfütze gerauscht. Er war es also nicht. Jedenfalls nicht selbst. Die Tante hat ihn am Steuer gesehen." Sie machte eine Pause.

„Und jetzt?"

„Müssen wir sehen. Sehen wir uns nochmal sein Handy und seinen Computer an."

Die beiden vertieften sich in die Arbeit. Gegen elf sagte Silvio:

„Ulla ich muss jetzt dann weg. Bin aber in der Nähe von dir. Willst du nach deiner Schildkröte sehen? Ich habe dann noch einen Termin da in der Nähe und dann könnten wir weiter zu Bergers Firma."

Ulla nickte. Sie fuhren zu Ulla. Sandrine wartete schon. „Hallo Silvio. Heiner hat mich gerade angerufen. Er hat erst um halb zwei Zeit. Wir haben noch Zeit."

„Ja, dann sind wir viel zu früh dran." Silvio sah auf die Uhr.

„Ruf mich an, wenn ihr fertig seid.", sagte Ulla und verabschiedet sich. Kurz darauf winkte sie den beiden vom Balkon.

„Komm lass uns da was essen.", sagte er zu Sandrine. Direkt vor ihnen war ein Asia-Restaurant. Sie traten ein und bereuten es im nächsten Augenblick. Die Tischdecke war fleckig, es wirkte alles ein wenig herunter gekommen. Es roch nach Fett. Aber das Mädchen kam schon, um die Bestellung aufzunehmen.

„Was darf ich Ihnen bringen?"

„Ich nehme einmal „Geschenk des Himmels"., sagte Silvio mit Blick auf die Tageskarte.

„Das ist die frische Schildkröten-suppe?", fragte das junge Mädchen. „Zweimal?"

„Ich bin Vegetarierin.", sagte Sandrine.

Sie bestellten noch Reis mit Gemüse,
Sandrine war ja plötzlich wieder
Vegetarierin. Silvio grinste. „Keine
Schildkröten heute ja?"

Sandrine sah sich um. Sie waren weit
genug vom Nachbartisch mit vier
jungen Leuten entfernt.

„Schildkrötensuppe ist nach einem
Artenschutzabkommen von 1988
verboten. Es gibt sowas nicht mehr."

Silvio wurde es heiß.

„Ja, jetzt ist es zu spät." Die Suppe
kam. Mit etwas schlechtem Gewissen
verzehrte er sie bis auf den letzten

Tropfen. „War überraschend lecker. Sehr aromatisch."

Aber die Sache mit den Schildkröten war nicht so gut. Trotzdem fühlte er sich gestärkt, als sie das Lokal verließen.

Sie gingen zwei Straßen weiter zur Sanus Reha Klinik. Heiner Ackemann erwartete die beiden schon.

Er telefoniert noch mit seinem Schachfreund, lächelte aber Sandrine zu und beendete das Gespräch.

„Schön dich zu sehen, Sandrine. Wen hast du mitgebracht?"

„Das ist Silvio, wir kennen uns von der Ostsee."

„So, so." Heiners Blick ruhte auf Silvio und er ließ nicht erkennen, was er von ihm dachte.

„Wollt ihr beide einen Kaffee trinken, oder lieber Espresso?"

„Espresso.", sagte Sandrine. Silvio nickte, er versuchte zu ergründen, was Heiner von Sandrine dachte. So ganz sicher war er sich da nicht. Jedenfalls verwickelte Sandrine Heiner in ein Gespräch über den neuen Golfclub, der ihnen beiden gefiel. Heiner leerte den Espresso auf einen Zug und fragte dann: „Aber ihr seid nicht hier um mit mir übers Golfen zu reden?"

„Nein, es geht uns um dieses Mädchen, das von der Brücke gesprungen ist."

„Ah, Inez. Das ist tatsächlich tragisch, so jung. Ja, wir vermissen sie sehr."

Er machte eine kurze Pause. „Aber sie war immer etwas labil, das arme Ding." Heiner sah durch das riesige Frontfenster hinaus auf die Anlage. Das Gespräch stockte.

„Und sonst?", fragte Sandrine.

„Ja, wir haben tatsächlich noch einen Verlust zu beklagen. Unser stellvertretender Geschäftsführer, er war etwa in deinem Alter, Sandrine, hatte einen Herzinfarkt. Ihr jungen

Leute stresst euch einfach zu viel. Und das obwohl er aus der Wellness-Branche kam."

Wieder entstand eine Pause, die Silvio unangenehm fand.

„War er schon lange hier?", fragte Silvio, um das Gespräch in Gang zu halten.

„Fünf oder sechs Jahre."

„Und mit wem hat Inez gearbeitet?"

„Hauptsächlich mit seiner Sekretärin, Frau Heller. Sie hätte Frau Heller einmal ersetzen sollen, denn die steht kurz vor dem Ruhestand."

„Sagen Sie, gibt es Kameras auf Flur?", fragte Silvio. Er hatte eine gesehen und fragte einfach so ins Blaue. Heiners Gesichtsfarbe wurde leicht rot bis lila und auf der Stirn erschien eine Ader.

„Nein, gibt es nicht. Wissen Sie, wir sind hier alle auf Privatsphäre unserer Patienten bedacht."

Im Bürotrakt waren doch wohl eher selten Patienten unterwegs, dachte Silvio.

„Sag mal Heiner, irre ich mich, oder war da vorne nicht mal so eine Art Teich mit Enten und so?", fragte Sandrine.

Heiner nickte. „Ja, aber wir haben ihn zuschütten lassen. Die Pflege ist aufwändig und das Risiko, dass jemand rein fällt ist mir zu hoch."

Er wechselte das Thema. „Möchtet ihr noch einen Espresso?", fragte er und sah die beiden an.

„Danke, nein, wir müssen los.", sagte Sandrine. „War schön dich wieder mal zu sehen."

„Ja." Seine dunklen Augen ruhten auf Silvio. „Einen schönen Tag noch."

Im Gehen sagte Sandrine zu Silvio: „Heiner war irgendwie seltsam, so ist er sonst nie. Es fühlte sich fast an als wollte er etwas verbergen." Silvio nickte. „Aber leider wissen wir nicht was."

„Ich muss zurück ins Büro. Heute hält sich der Lärmpegel in Grenzen.", sagte Sandrine als sie wieder vor dem Hochhaus standen. Silvio rief Ulla an. Sie warteten vor dem Asia Restaurant. „Hallo Silvio", hörte er jemanden rufen.

Silvio sah nach oben. Ulla winkte.

„Ich komm gleich." Sie wohnte im 4. Stock direkt über dem Lokal.

Sie warteten fünf Minuten, zehn Minuten. Silvio sah auf die Uhr. Langsam wurde er nervös. Konnte sie sich nicht einmal beeilen? Immer war sie zu spät.

„Also, fast glaube ich, meine Irmi ist vom Balkon gefallen.", sagte Ulla als sie endlich ankam.

„Wer ist Irmi?", fragte Sandrine.

„Die Schildkröte, die ich für Leon während seines Urlaubs betreue." Sandrine atmete durch. „Und die Schildkröte war auf dem Balkon ja?" Ulla nickte.

„Geschenk des Himmels.", sagte Sandrine zu Silvio. Bernstein wurde blass. Hatte er Irmi verspeist? Ulla sah von Sandrine zu Bernstein. „Alles ok mit euch zwei?"

„Ja, sicher." Silvio schüttelte sich.

Ulla und Silvio fuhren zur IT-Firma, bei der Andreas Berger beschäftigt war. Die Firma war in einem grauen Betonklotz untergebracht.

„Sie kommen wegen Andreas?"

„Ja."

„Ihre Kollegen waren schon an seinem Arbeitsplatz."

„Ja, uns geht es mehr darum, wie Sie mit ihm zurechtgekommen sind."

„Also, wir hatten nicht so viel mit einander zu tun. Seine Arbeit war top und die Leute sind gut mit ihm klargekommen, kein Stress, kein Streit."

„Also niemand, der Grund hätte.."

„Nein, auf keinen Fall.", sagte Rolf Richter, der Firmenchef der Consulting GmbH.

„Mit Kunden hatte er nichts zu tun. Ich weiß nicht, vielleicht müssen Sie einfach mehr in sein Privatleben einsteigen oder tiefer in der Vergangenheit graben. Hier finden Sie jedenfalls kein Motiv. War es das? Ich habe noch Termine."

„Wie sehen uns noch um, ist das in Ordnung für Sie?", sagte Bernstein.

„Ja, bitte, aber stören Sie die Leute nicht zu lange bei der Arbeit. Wir haben hier gerade viel Termindruck."

„Der wollte uns aber schnell loswerden hier.", sagte Ulla.

Sie warfen einen Blick in die Kaffeeküche und sahen sich seinen Arbeitsplatz an.

Die früheren Kollegen von Andreas Berger kümmerten sich nicht um sie. Silvio sprach einen Mitarbeiter an. „Hallo, es geht um Andreas Berger. Ist Ihnen etwas aufgefallen in der letzten Zeit?"

„Schlimme Sache, aber nein, da gab es nichts Besonderes, wissen Sie, ich kann Ihnen dazu nichts sagen."

„Wie ist es, fehlt er?"

Der Mann starrte ihn an. „Ja sicher, aber letztlich wird jemand anders den Job machen müssen."

„Vielen Dank." Sie verabschiedeten sich.

„Also besonders traurig war der nicht."

„Nein, aber vielleicht will er auch in nichts hineingezogen werden."

Bernstein hing den Worten des Firmenchefs nach: Graben Sie tiefer in der Vergangenheit. Wusste der was? Sie fuhren zurück.

Im Büro

Endlich zurück im Büro kam ihm Hilde auf dem Flur entgegen.

„Also Silvio, Frau Kämmerer will dich sprechen."

„Ok." Was wollte die jetzt von ihm?

„Hallo Frau Kämmerer."

„Herr Bernstein. Ich hatte gerade einen Anruf vom Jagdverband, wegen dieses Herrn Seifert. Also, der Vorsitzende legt seine Hand ins Feuer und überhaup, haben Sie denn gar keine andere Spur?"

„Oh, im Moment ist es gerade schwierig."

„So, so." Sie sah ihn prüfend an. „Ja, dann sehen Sie mal.."

„Also, der Seifert ist so gut wie raus. Gegen ihn liegt eine Anzeige vor, er war zur Tatzeit definitiv nicht vor Ort." Die Kämmerer atmete auf.

„Was ist denn mit dieser Ex-Frau?"

„Seifert sagt, dass er bei Annika Berger war, bis er gefahren ist."

„Hm. Schwaches Alibi. Aber gut. Wenigstens ist der Seifert raus. Und ihre Kollegin, die Frau Hummer, die ist wohl ständig zu spät oder wie?"

Wie unangenehm war das denn. „Nicht immer.", sagte Silvio. „Geht so." Dass er sich über Ulla ärgerte war eins, der

Kämmerer was zu stecken, was anderes.

Silvio verzog sich ins Büro. Es konnte doch gar nicht sein, dass hier nichts zu finden war.

Er ging die Dateien von Berger auf dem PC durch, las er seinen Lebenslauf und das Anschreiben für seine letzte Stelle durch, Schriftverkehr mit seinem Vermieter, Anwalt wegen der Scheidung.

Aber da war nichts, was in ihm etwas auslöste, oder ihn auf die Spur brachte. Nichts. Ulla verschwand zeitig. „Ich muss die Schildkröte finden."

Silvio wurde es heiß. Das auch noch. Er blieb und arbeitete sich durch die Dateien, aber da gab es nur Verwaltungssachen mit dem Vermieter, nichts Persönliches.

Irgendwann rauchte sein Kopf und er beschloss es für heute gut sein zu lassen.

Es regnete nicht und Sandrine schlug einen Spaziergang vor. Sie redeten nicht, jeder hing in Gedanken seiner Arbeit nach. Erst bei ihrem Stammlokal „Da Pepe" sahen sie sich an.

„Wollen wir?" Sandrine nickte und bei einem großen Salat für Sandrine und einem Ragout für Bernstein löste sich die Spannung und der Gedanke, der die ganze Zeit über herumwaberte und sich nicht greifen ließ, wurde klar. Er fand bei Andreas Berger nichts Persönliches und auch nichts aus seiner Vergangenheit. Dieser Berger war ein Mensch, der nur im jetzt lebte und alles sofort entsorgte. Und er war sich sicher: Der Schlüssel zur Lösung des Falls lag in Bergers Vergangenheit.

Auf dem Rückweg sagte Sandrine: „Ich muss morgen auf eine Beerdigung. Ein Studienkollege von mir ist überraschend gestorben. Er hatte eine Nuss Allergie und ohne es zu merken Nüsse gegessen. Er war sofort tot. Treffen wir uns nach der Beerdigung zum Schwimmen im Stadtbad?"

Silvio nickte. Schwimmen war immer eine gute Idee.

Die Kämmerer kam ihm in den Sinn. „Bernstein Sie schwimmen total."

Mittwoch 9.00 Uhr

Sandrine fuhr zur Beerdigung. Eigentlich kannte sie Peter nur über seine Freundin Julia, und die hoffte sie zu treffen. Die Trauergemeinde war überschaubar, seine Eltern und Geschwister, und seine Witwe, die aber nicht Julia war. Tja. Sie setzte sich kurz zum Kaffee neben eine Dame Mitte fünfzig. „Sandrine Pröls, Studienkollegin. Woher kannten Sie sich?", fragte Sandrine.

„Oh, rein beruflich. Monika Brand. Ich war Sekretärin in der ersten Firma, in der er nach dem Studium angefangen hatte. Das „Panorama Wellness Resort" mit 20.000 qm, fünf

Schwimmbädern und und und." Sie lächelte. „Es war eine schöne Zeit damals. Und jetzt sterben sie alle."

„Wie meinen Sie das?"

„Na ja. Erst Jan Böhme an der Herzinfarkt, dann Peter an seiner Nuss Allergie und der Andreas Berger wurde einfach erschossen."

Sandrine schauderte es. „Was ist aus dem Resort geworden?"

„Ach ja, da war erst dieses Unglück und später wurde einfach geschlossen."

„Welches Unglück?"

„Sie wissen nichts davon?" Sandrine schüttelte den Kopf.

„Nein, der Kontakt verlor sich nach dem Studium, ich war im Ausland und jeder ging seiner Wege."

„Dann erzähle ich es Ihnen." Sie setzte die Kaffeetasse ab. Ihre Hand zitterte ein wenig.

„Wir hatten auf dem Gelände neben den Parkplätzen einen Teich, beinahe einen See. Und der war relativ tief. In einer Geschäftsführerbesprechung wurde darüber geredet, ob man den Teich einzäunen lassen sollte. Der Berger hat Angebote eingeholt. Jedenfalls kam es allen sehr teuer vor, die Versicherung war für einen Zaun, hat das aber nur empfohlen, nicht verlangt. Jedenfalls hat man sich wegen der Kosten dagegen entschieden. Einstimmig. Berger, Urban und Böhme. Alle drei haben das Protokoll unterschrieben. Und dann wenig später ist es passiert. In der Mittagszeit. Eine junge Mutter mit ihren zwei Kindern. Ich weiß nicht mehr, was die Frau gemacht hat, jedenfalls sind die zwei rumgelaufen und beide in den Teich gefallen. Gegen die Mutter lief ein Verfahren wegen Verletzung der Aufsichtspflicht."

„Was ist mit den Kinder passiert?", fragte Sandrine.

„Beide ertrunken. Gegen die Geschäftsführung wurde ebenfalls ermittelt, weil es keinen Zaun gab."

Sie trank einen Schluck Wasser.

„Das Ganze war eine Tragödie. Die Frau hat versucht sich umzubringen, die Ehe ist gescheitert. Sie ist in der Psychiatrie gelandet. Obwohl in der zweiten Instanz festgestellt wurde, dass auch ein Zaun den Unfall mit an Sicherheit grenzender Wahrscheinlichkeit nicht verhindert hätte. Alle drei waren erleichtert. Irgendwie fühlten sie sich doch schuldig. Jedenfalls suchten sie sich alle einen neuen Job. Bei Böhme dauerte es am längsten, aber der fand dann über eine Fachzeitschrift diese Stelle in der Sanus Reha. Ich habe das dann nicht mehr weiter mitverfolgt. Nur jetzt sind alle drei tot, so schnell hintereinander. Schrecklich."

„Allerdings.", sagte Sandrine. Sie musste mit Bernstein reden und zwar bald.

Sie machte sich auf den Weg ins Büro.

Im Büro, ebenfalls 9.00 Uhr

Silvio saß auf Kohlen, und wartete. Wo blieb Ulla bloß? Sie wollte doch nur kurz ein Sandwich aus der Bäckerei holen. Was dauerte denn solange?

Er wollte nochmal zu dieser Annika Berger. Wenn jemand etwas über seine Vergangenheit wusste, dann doch seine Frau.

Doch Ulla ließ auf sich warten. Kurz nach halb zehn spazierte sie herein. „Ulla wir müssen los, nochmal zu dieser Annika Berger."

„Ok." Als sie losfuhren sagte Ulla: „Weißt du ich bin so froh, ich habe Irmi wieder gefunden."

Silvio hielt die Luft an.

„Ja. Sie ist heute unter dem Bett hervor gekrabbelt. Und das nachdem sie tagelang verschollen war."

Silvio wurde es schwindelig. Was hatte er dann in diesem Asia-Lokal bloß gegessen, wenn das keine Schildkröte war? Es schmeckte nicht wie normales Fleisch. Er schluckte, lieber nicht nachdenken.

Bei Annika Berger

Annika Berger öffnete ihnen. „Ich bin im Home-Office, mitten in einem Meeting. Also, machen Sie schnell bitte."

„Seit wann kannten Sie sich?"

„Seit vier Jahren und wir haben schnell geheiratet. Es war sehr spontan."

„Und wissen Sie was über seine Vergangenheit?"

„Meinen Sie Freundinnen?"

„Allgemein."

„Also er hat nicht viel erzählt. Er war immer so im hier und jetzt. Er hat auch Unterlagen immer sofort entsorgt, wenn sie nicht mehr notwendig waren. Also tut mir leid."

„Ja, dann, wenn Ihnen noch etwas einfällt." Sie verabschiedeten sich.

„Also entweder ist sie sehr loyal oder sie weiß wirklich nichts."

Silvio nickte. „Sieht so aus." Wieder ein Fehlschlag. Es war nicht zu glauben. Andreas Berger war ein Mensch ohne Vergangenheit, ohne dunklen Fleck.

Halb zwölf, ein schneller Espresso mit Sandrine war drin, er schrieb ihr eine Nachricht. 11.30 Uhr im „Espresso Berlin"?

„Komme, es gibt Neuigkeiten."

Im „Espresso Berlin"

„Hallo Bernstein." Sandrine schwirrte zur Tür herein. Eine blumige Duftwolke umhüllte sie. Der Duft ließ Silvio an den Sommer denken. Sie setzte sich ihm gegenüber ans Fenster.

„Du glaubst nicht, was ich erfahren habe. Dein Mordopfer Andreas Berger, mein Studienkollege Peter Urban und Jan Böhme waren Kollegen und alle drei in einen Prozess verstrickt. Sie haben in der Geschäftsführung für ein Wellness-Resort gearbeitet, sich gegen die Umzäunung eines Teichs entschieden. Und genau da sind zwei Kinder ums Leben gekommen. Zwar wurden später alle freigesprochen, aber die Wellness-Oase gibt es nicht mehr und alle drei sind tot."

„Das könnte das Motiv sein. Weißt du wer die Kinder waren?"

„Klar doch, habe schon alles recherchiert. Die Kinder hießen Nele und Emil Harms, 4 und 6 Jahre alt als es passiert ist. Die Mutter ist in der Psychiatrie, die Ehe der Eltern geschieden. Der Vater ist vor zwei Jahren tödlich verunglückt. Das ist alles was ich im Internet gefunden haben."

„Du bist großartig."

„Und es gibt den Vater von Sandra Harms, den Wolfgang Heller. Der ist nicht mehr der Jüngste."

„Dem sollte ich mal einen Besuch abstatten. Ulla soll mal die Adresse und die Telefonnummer raussuchen."

Es dauerte ein wenig. Dann rief Ulla zurück. „Also, dieser Wolfgang Heller ist 79 Jahre alt und wohnt in der Wulfsteinstraße, Telefon 74 45 52 01."
„Ok. Ich melde uns an."

„Bei Heller. So Sie wollen Herrn Heller sprechen. Warten Sie, ich frage nach." Das klang nach einer Haus-angestellten.

Silvio wartete. „Hören Sie bitte, Sie können kommen. Aber erst gegen fünf Uhr heute nachmittags."

Silvio konnte es kaum erwarten. Er fuhr nochmals in die Wohnung von Andreas Berger. Aber da war nichts. Keine Fotos, keine alten Postkarten, kein Tagebuch. Gut vielleicht alles auf dem Rechner gespeichert. Aber er hatte nichts gefunden, außer Finanzen und Verwaltungskram. Kein Hinweis auf einen Prozess.

Kurz vor fünf Uhr stand er vor dem Haus in der Wulfsteinstraße. Er wartete im Sonnenschein.

Ulla wollte selbst fahren, sie wollte anschließend zum Training. Aber sie kam nicht. Stattdessen stand Sandrine vor ihm. Er schrieb Ulla. „Ich gehe mit Sandrine rein. Bitte komme nach."

In der Wulfsteinstraße

Sie läuteten. „Ja bitte?"

„Bernstein, Kripo Berlin und Sandrine Pröls."

„Kommen Sie rein." Der Summer ertönte und die schwere Holztür öffnete sich. Eine Hausangestellte nahm sie in Empfang.

„Guten Tag. Ich bringe Sie nach oben, wenn Sie mir folgen wollen."

Sie folgten ihr die Treppe nach oben. Das Haus wirkte düster, die schweren Teppiche, die alten Gemälde drückten die Stimmung.

Silvio stellten sich die Nackenhaare auf. Ein Blick auf Sandrine. Sie hatte ihr Sphinx Lächeln im Gesicht. Es ging ihr also ähnlich.

„Bitte sehr. Treten Sie ein."

Die Dame öffnete die Tür und sie sahen ihren Gastgeber in einem Rollstuhl sitzen, seine Nase mit einem Sauerstoffgerät verbunden. Silvios Blick fiel auf das Schachbrett auf dem Tisch neben dem Telefon.

Wolfgang Heller fing den Blick auf. „Telefonschach, aber Ihnen geht es um das Unglück, um meine beiden Enkelkinder?"

„Ja. Richtig."

„Bitte nehmen Sie doch Platz."

Er machte eine einladende Handbewegung. „Meine Haushaltshilfe hat schon etwas vorbereitet. Ein wenig Tee. Sie trinken doch eine Tasse und probieren die Madeleines."

„Vielen Dank, das wäre doch nicht nötig gewesen." Silvio versuchte höflich abzulehnen.

„Nehmen Sie doch." Sandrine hatte Durst. „Ist das Hagebutten-Tee?", fragte sie. Er lächelte und sie trank die halbe Tasse.

Silvio folgte ihrem Beispiel, nahm einen Schluck. Der Tee schmeckte seltsam. Er fühlte sich plötzlich müde. Da stimmte was nicht. Er zog unter der Tischkante sein Handy heraus, die App, über die er mit Ulla schrieb, war noch offen. Er tippte SOS und Versenden, er schaffte es noch das Handy einzustecken. Dann sackte Sandrine weg und er fühlte sich ganz schwach, sein Körper fühlte sich so schwer an.

Ganz leise hörte er ihn sagen: „Als ich erfahren habe, dass sie den Zaun aus Kostengründen nicht gebaut haben, wollte ich Rache. Da kann das Gericht entscheiden, wie es will. Meine Familie ist zerstört und ich habe nicht mehr lange zu leben. Es war genug Zeit herauszufinden, wie ich sie alle am besten umbringen kann."

Silvio nahm seine ganze Kraft zusammen und fragte: „Aber das waren doch nicht Sie?"

„Wo denken Sie hin, ich bin hier an den Rollstuhl gefesselt, aber meine Schwester nicht. Komm ruhig herein Inge."

Inge Heller, die Sekretärin von Heiner Ackemann. Silvio dämmerte es. Sie hatte eine Pistole in der Hand.

„Damit habe ich auch Berger erschossen und Sie und ihre Freundin sind auch noch dran."

„Ihr Handy." Silvio gab es ihr. „Aber.."
Dann dämmerte er weg.

Er erwachte erst, als Ulla neben ihm
saß.

„Bernstein, du machst Sachen. Gut,
dass ich später dran war. Ich musste
noch Irmi Leon übergeben."

„Was ist mit Sandrine?"

„Der geht es gut, es war nur ein
Schlafmittel. Sie wacht bald wieder
auf."

„Wenn du nicht gekommen wärst, dann
hätte sie uns umgebracht."

Ulla nickte und sagte:

„Also, Inge Heller hat Berger erschossen, Böhme hat sie Gift in den Kaffee geschüttet, so dass er einen Herzinfarkt bekam und für Urban hat sie Croissants mit Nussfüllung besorgt. Für ihn waren die absolut tödlich. Das einzige Problem war, dass diese Inez sie dabei beobachtet hat. Aber die hat sie bedroht und es war ein leichtes das labile Mädchen in den Selbstmord zu treiben.

Silvio richtete sich langsam auf. „Warum hat sie das gemacht?"

„Ihr Bruder war ihr einziger Verwandter, sie war nie verheiratet und hatte, als sie ein junges Mädchen war, eine Abtreibung. Er hat als einziger aus der Familie zu ihr gehalten und sie hatte das Gefühl, ihm das schuldig zu sein. Wolfgang Heller hat nicht mehr lang zu leben und er wollte Gerechtigkeit für sich und seine Tochter. Er konnte den tödlichen Unfall seiner Enkel nicht akzeptieren."

„Silvio was ist passiert?" Das war Sandrine. Sie hielt sich den Kopf. „Mir ist ganz schlecht."

„Die haben uns reingelegt. Im Tee war Schlafmittel. Lass uns nach Hause fahren."

„Ich bringe euch.", sagte Ulla. Sie fuhr die beiden zu Silvio. „Und schafft ihr es nach oben?"

„Wird schon." Silvio nickte. Oben ließen sie sich in die Kissen sinken. Sie waren beide noch vom Schlafmittel benommen, als es an der Tür klickte.

Sandrine und Silvio sahen sich an. Wer konnte das jetzt sein?

„Hallo." Das war Esmeralda. „Mathilda hat gesagt ich soll euch was zum Essen vorbeibringen. Sie hat mit Ulla telefoniert."

Sandrine schälte sich aus dem Bett und schlappte rüber in die Küche. „Das riecht ja lecker."

Ihr Blick blieb an Esmeraldas Figur hängen. Welchen Sport machte die wohl? Sie sparte sich die Frage für später.

„Paella. So wie Silvio sie mag.", sagte Esmeralda und zwinkerte ihr zu.

„Oh." Sandrine grinste.

„Und eine Tüte voller Vitamine." Esmeralda packte die Tasche aus. „Weintrauben, Äpfel, Bananen, Orangen. Alles um euch zwei wieder auf die Beine zu bringen. Tschüss dann." Weg war sie.

„Wie sieht es in deiner Wohnung aus?" Die Frage lag Silvio auf der Seele und er fürchtete sich vor der Antwort.

„Bernstein, bis meine Wohnung wieder trocken ist, ist es Sommer.", sagte

Sandrine. „Und ich habe mich so an dich gewöhnt, also die Bilder bleiben." Sie setzte sich auf.

„Aber ich muss nächste Woche nach London."

Silvio lächelte. Alles war gut.

Personen und Handlungen sind frei erfunden. Ähnlichkeiten mit lebenden oder bereits verstorbenen Personen sind zufällig und nicht beabsichtigt.